LE TOUR DE FRANCE
EN 300 QUESTIONS

© Éditions Lito
41, rue de Verdun
94500 Champigny s/Marne
Imprimé par Brodard et Taupin
La Flèche (France)
« Loi n° 49 956 du 16/7/1949
sur les publications destinées
à la jeunesse ».
Dépôt légal : avril 1988.

LE TOUR DE FRANCE
EN 300 QUESTIONS

Texte de Béatrice SOLLEAU
Illustrations de Anne TONNAC

ÉDITIONS LITO

TABLE

RÈGLE DU JEU

Pour ce jeu, les 95 départements français ont été groupés en 22 régions, numérotées de 1 à 22.

Les joueurs doivent traverser 5 régions (communes à tous les joueurs). Ils choisissent leur point de départ.

Exemple : point de départ n° 5, la Franche-Comté. Régions à traverser : n° 5-6-7-8-9. Point d'arrivée : n° 9, le Languedoc-Roussillon.

Dans chaque région, les joueurs doivent répondre à : 2 questions.

Il y a 5 régions à traverser ; il faut donc répondre à 2 x 5 = 10 questions.

Les joueurs se posent mutuellement les questions.

Chaque question vaut 1 point.
Celui qui ne sait pas répondre ne marque rien.
A l'arrivée, on fait ses comptes. Le gagnant est celui qui marque le plus de points.
A vous de jouer !

RÉGION N° 1 :
NORD - PAS-DE-CALAIS

1. Combien y a-t-il de départements dans la région Nord - Pas-de-Calais ?

2. Quel est le nom de la ville du Nord dont la spécialité est aussi appelée « bêtises » ?

3. Comment appelle-t-on les habitants de Dunkerque ?

4. La ville de Calais a eu pendant deux siècles une autre nationalité que la nationalité française. Laquelle ?

5. Le pas de Calais (qui sépare le continent des îles Britanniques) a-t-il déjà été franchi à la nage ?

6. La région du Nord est-elle une région agricole productive ?

7. Quelle est la ville la plus proche de la Grande-Bretagne ?

---

8. Quelle est la préfecture du département du Nord ?

---

9. Le Nord a-t-il une place importante dans l'industrie textile ?

---

10. Quel est le numéro d'immatriculation du département du Nord ?

---

11. Quel est le numéro d'immatriculation du département du Pas-de-Calais ?

---

12. Quel est le premier port de pêche français ?

---

13. Qu'est-ce qui a valu à la région du Nord d'être surnommée « le pays noir » ?

---

14. Quelle est l'activité traditionnelle de Calais :
    a) la fabrication du boudin ?
    b) la fabrication de la dentelle ?
    c) la fabrication des chapeaux ?

RÉGION N° 2 :
CHAMPAGNE-ARDENNE

1. Dans quelle ville du département de la Marne furent couronnés les rois de France, de Clovis à Charles X ?

2. Que peut-on visiter sur la montagne de Reims (falaises de l'Ile-de-France (280 m)) :
   a) une grotte ?
   b) un château ?
   c) un parc régional ?

3. Quel est le principal monument de la ville de Reims ?

4. Citez un des deux principaux cours d'eau du département de la Haute-Marne ?

5. De quel département la ville de Troyes est-elle la préfecture ?

6. Quel est le nom du vin mousseux fabriqué dans cette région ?

7. Combien y a-t-il de kilomètres entre Troyes et Paris (en partant du centre-ville) :
   a)   20 km ?
   b) 166 km ?
   c) 600 km ?

8. Le chaource est-il :
   a) un fromage champenois ?
   b) un costume régional ?
   c) un vin de table ?

9. Comment appelle-t-on les habitants de Châlons-sur-Marne ?

___

10. Où sont entreposées les bouteilles de champagne, de Reims à Épernay :
    a) dans des caves à trente mètres de profondeur ?
    b) dans des greniers ?
    c) dans des fûts ?

___

11. Quels sont les quatre départements qui forment la région Champagne-Ardenne ?

___

12. Y a-t-il une centrale nucléaire dans les Ardennes ?

___

13. Quelle est l'industrie dominante dans l'Aube ?

___

14. Dans quelle ville est né, en 1619, Colbert, ministre de Louis XIV ?

___

RÉGION N° 3 :
LORRAINE

1. Laquelle des trois est lorraine :
   a) la quiche ?
   b) la pizza ?
   c) la bouillabaisse ?

---

2. Que met-on en bouteille à Vittel ?

---

3. Quel est le nom de la rivière qui traverse Metz ?

---

4. Quelle est la principale récolte dans les Vosges :
   a) les épinards ?
   b) le coton ?
   c) la pomme de terre ?

---

5. Quelle est la principale station thermale des Vosges ?

---

6. Comment appelle-t-on les habitants de Bar-le-Duc (Meuse) ?

---

7. A quoi Épinal doit-elle sa célébrité ?

8. En cuisine, on s'en sert lorsqu'il est raffiné. La Lorraine en est un producteur. Qu'est-ce que c'est ?

9. Citez une des quatre villes principales de la Lorraine.

_____

10. Que fabrique-t-on à Baccarat (Meurthe-et-Moselle) ?

_____

11. En 1412, est née, en Lorraine, une jeune fille aujourd'hui canonisée et fêtée comme héroïne nationale le deuxième dimanche de mai. Quel est son nom ?

_____

12. Dans quelle ville du département de la Moselle y a-t-il une base militaire ?

_____

13. Combien de départements y a-t-il en Lorraine ?

_____

14. Qu'est-ce qui vient du sol et qui constitue la richesse traditionnelle de la Lorraine ?

_____

RÉGION N° 4 :
ALSACE

1. Combien de départements y a-t-il en Alsace ?

___

2. Que portent les Alsaciennes sur la tête quand, dans les fêtes folkloriques, elles revêtent le costume régional ?

___

3. Quels oiseaux venaient, en mars, bâtir leur nid en Alsace ?

___

4. Quelle sorte de vin donne le vignoble d'Alsace sur les collines sous-vosgiennes :
   a) rosé ?
   b) blanc ?
   c) noir ?

___

5. Qu'est-ce qui est réputé à Strasbourg pour être un joyau d'architecture ?

___

6. Que se passe-t-il lorsque l'horloge astronomique de Strasbourg sonne 12 h 30 ?

7. En automne, il y a à Colmar une fête dont le thème est un plat régional. Quel est ce plat :
   a) la potée ?
   b) le bœuf bourguignon ?
   c) la choucroute ?

8. Quelles sont les deux villes les plus importantes d'Alsace ?

9. Y a-t-il un port à Strasbourg ?

10. Les forêts vosgiennes couvrent-elles :
    a) tout le territoire du Haut-Rhin ?
    b) un cinquième du territoire du Haut-Rhin ?
    c) un tiers du territoire du Haut-Rhin ?

---

11. Quel est le nom du célèbre fromage alsacien à l'odeur et au goût forts ?

---

12. Qu'y a-t-il au sommet de la cathédrale de Strasbourg :
    a) une flèche ?
    b) un coq ?
    c) une cloche ?

---

13. Quelle est la ville d'Alsace qui a été choisie pour siège du Conseil de l'Europe, du Parlement européen et de la Cour européenne des Droits de l'homme ?

---

14. Dans quelle ville d'Alsace Rouget de Lisle chante-t-il pour la première fois *la Marseillaise* qu'il vient de composer ?

RÉGION N° 5 :
FRANCHE-COMTÉ

1. Qu'est-ce qui fait tic-tac et se fabrique à Besançon ?

_____

2. Y a-t-il pas, peu ou beaucoup de lacs dans le Jura ?

_____

3. La maison de quel savant célèbre pour son vaccin contre la rage (entre autres) peut-on visiter à Arbois (Jura) ?

_____

4. Quel sorte d'élevage pratique-t-on en Franche-Comté :
   a) lapins ?
   b) moutons ?
   c) bovins ?

_____

5. Qu'est-ce que le château-chalon :
   a) un fromage ?
   b) un cours d'eau ?
   c) un vin ?

_____

6. Citez un fromage de la Franche-Comté.

___

7. La ville de Luxeuil-les-Bains est-elle une station thermale ?

___

8. Qu'est-ce qui, à Belfort, s'appelle la Savoureuse :
   a) une rivière ?
   b) une pâtisserie ?
   c) un marché ?

___

9. Combien de cadrans y a-t-il sur l'horloge astronomique de Besançon (Doubs) :
   a) deux ?
   b) quinze ?
   c) soixante-dix ?

___

10. Quel est le plus petit département français ?

___

11. Quels départements forment la Franche-Comté ?

___

12. Comment appelle-t-on la fameuse saucisse de Morteau (Doubs) ?

---

13. Comment appelle-t-on les habitants de Vesoul (préfecture de la Haute-Saône) ?

---

14. Quel est le célèbre animal qui « garde », à Belfort, le passage tant convoité entre Alsace et Bourgogne, entre Vosges et Jura ?

RÉGION N° 6 :
RHÔNE-ALPES

1. Quelle est la plus grande ville du département du Rhône ?

2. Quels sports pratique-t-on à Chamonix (Haute-Savoie) ?

3. Quelle est la spécialité culinaire du Dauphiné ?

4. En combien d'heures peut-on aller de Paris à Lyon en T.G.V. :
   a) 2 h ?
   b) 30 mn ?
   c) 4 h ? (Distance : 468 km)

5. Quel est le nom de l'important vignoble de la région Rhône-Alpes ?

6. Comment appelle-t-on les habitants de Beaujeu (Rhône) ?

7. Quel est le nom du fromage issu de la riche région agricole du département de l'Ain, la Bresse (nom de couleur) ?

8. Comment appelle-t-on les habitants de Saint-Étienne (préfecture de la Loire) ?

9. Dans quelle ville du département de l'Isère ont eu lieu les Jeux olympiques de 1968 :
   a) La Tour-du-Pin ?
   b) Vienne ?
   c) Grenoble ?

10. Le parc de la Vanoise est-il le premier parc national français ?

11. Combien de départements y a-t-il dans la région Rhône-Alpes :
    a) deux ?
    b) cinq ?
    c) huit ?

12. Dans quelle grande ville fut créé Guignol, la marionnette ?

_____

13. A Pontcharra (Isère) se trouve le château où naquit en 1476 le chevalier Bayard. Comment surnommait-on ce dernier ?

_____

14. Y a-t-il des grottes en Ardèche ?

_____

RÉGION N° 7 :
PROVENCE-ALPES-CÔTE D'AZUR

1. Quel est le plus célèbre des plats provençaux (surtout à Marseille) ?

2. Quelle est la spécialité d'Aix-en-Provence ?

3. Quel est le nom du vent très violent qui souffle dans la vallée du Rhône et sur les côtes de Provence et du Languedoc ?

4. Quel est le port le plus important de la Méditerranée ?

5. Qu'est-ce que la Canebière ?

6. Dans quelle ville des Alpes-Maritimes se tient chaque année depuis 1948 le Festival international du cinéma ?

7. En face de quelle ville se trouve Saint-Tropez ?

8. Toulon est-il un port de guerre ?

9. Y a-t-il une station balnéaire à Gap (Hautes-Alpes) ?

10. Quel est le nom de la plus grande plaine de Provence ?

11. Combien de départements y a-t-il dans la région Provence-Alpes-Côte d'Azur ?

12. Quelle est la capitale mondiale du fruit confit :
    a) Apt ?
    b) Marseille ?
    c) Avignon ?

13. Dans quelle ville du département du Vaucluse s'installa la papauté au XIVe siècle ?

RÉGION Nº 8 :
CORSE

1. Combien y a-t-il de départements en Corse :
   a) un ?
   b) deux ?
   c) dix ?

---

2. Quelles sont les deux grandes villes corses ?

---

3. Depuis quelle année la Corse est-elle française :
   a) 1900 ?
   b) 1768 ?
   c) 1987 ?

---

4. Qu'est-ce qui était, en Corse, le repère de bandits célèbres ?

---

5. Y a-t-il un parc naturel régional en Corse ?

---

6. Est-ce qu'on peut faire du ski en Corse ?

---

7. Pratique-t-on la culture des céréales en Corse ?

---

8. La Corse produit-elle du vin ?

---

9. Calvi est-elle une station balnéaire ?

---

10. Le plus grand îlot des îles Sanguinaires (en face d'Ajaccio) fut habité en 1863 par un écrivain qui consacra à ce site une des fameuses *Lettres de mon moulin*. Quel est le nom de cet écrivain ?

---

11. Quel est le nom du port où, comme le rapporte *L'Odyssée*, Ulysse serait entré ?

---

12. Quelle était la capitale de la Corse antique ?

---

13. De quel pays la Corse est-elle le plus près :
    a) France ?
    b) Italie ?

---

14. Dans quelle ville est né Napoléon Ier ?

RÉGION N° 9 :
LANGUEDOC-ROUSSILLON

1. Quel est le sport d'équipe pratiqué à Béziers ?

---

2. Les arènes de Nîmes sont-elles une construction :
   a) grecque ?
   b) romaine ?
   c) hollandaise ?

---

3. Combien y a-t-il de départements dans la région Languedoc-Roussillon :
   a) deux ?
   b) trois ?
   c) cinq ?

---

4. Comment appelle-t-on les habitants de Narbonne ?

---

5. Quel est le premier port de pêche de la Méditerranée ?

---

6. Le pont du Gard est-il une construction récente ?

---

7. De quelles montagnes les Cévennes font-elles partie ?

---

8. Comment appela-t-on l'animal féroce (probablement un énorme loup) qui en 1765-68 fit régner la terreur sur les plateaux du bas Gévaudan (Lozère) ?

9. Quelle est la préfecture des Pyrénées-Orientales ?

---

10. Quelle est la principale culture du département de l'Aude :
    a) la pomme de terre ?
    b) la vigne ?
    c) le tabac ?

---

11. Béziers est un grand marché de certains produits languedociens. Lesquels ?

---

12. Où se trouve la plus importante forteresse médiévale conservée en Europe ?

---

13. Quelle faculté à Montpellier est réputée pour être la plus brillante de France (avec celle de Paris) et ce depuis 1289 :
    a) lettres ?
    b) sciences politiques ?
    c) médecine ?

---

14. Qu'est-ce que la Maison carrée de Nîmes :
    a) un labyrinthe ?
    b) un temple romain ?
    c) une église ?

RÉGION N° 10 :
MIDI-PYRÉNÉES

1. Quel est le plat principal de la région Midi-Pyrénées :
   a) les tripes ?
   b) le cassoulet ?
   c) l'andouille ?

2. Laquelle, d'Albi et de Toulouse, est appelée la ville rose et la ville rouge ?

3. Quel fromage fabrique-t-on à Roquefort-sur-Soulzon, dans l'Aveyron ?

4. Qu'élève-t-on sur le causse du Larzac ?

5. Quelle est la préfecture du département de l'Aveyron ?

6. Combien de départements y a-t-il dans la région Midi-Pyrénées ?

7. Dans quelle ville du Lot se trouve le pont Valentré :
   a) Figeac ?
   b) Gourdon ?
   c) Cahors ?

---

8. Dans quelle ville du département des Hautes-Pyrénées se rendent des malades et des croyants du monde entier ?

---

9. Le plus haut sommet des Pyrénées françaises, le Pic Vignemale (3 298 mètres), est-il franchi par une route ou un chemin de fer ?

---

10. Quelle est la quatrième ville de France ?

---

11. De quels artistes Toulouse était-il le rendez-vous aux XIIe et XIIIe siècles ?

---

12. Comment appelle-t-on les habitants de Foix (préfecture de l'Ariège) ?

RÉGION N° 11 :
AQUITAINE

1. Quand on dit « pruneaux » et « rugby »,
   à quelle ville du Lot-et-Garonne
   pense-t-on ?

   _____

2. Où se trouve la plus grande forêt
   française ?

   _____

3. Quel est le plus grand vignoble de vins
   fins du monde ?

   _____

4. Quel jeu pratique-t-on au Pays basque ?

   _____

5. Quelle est la spécialité de Bayonne ?

   _____

6. Biarritz est-elle une station balnéaire
   sur la côte landaise ou sur la côte
   basque ?

   _____

7. Bordeaux est-il un port fluvial ou maritime ?

_____

8. L'Aquitaine est-elle une région propice à la culture du tabac ?

_____

9. Qu'a-t-on trouvé sur les parois des grottes de Lascaux (Dordogne) ?

_____

10. Quels sont les cinq départements qui forment l'Aquitaine ?

_____

11. Comment appelle-t-on les habitants de Sarlat (Dordogne) ?

_____

12. Quel est le plus grand département français ?

_____

13. Quelle est la deuxième ville thermale de France ?

_____

14. Quel est le champignon du Périgord qui exhale un parfum très faible et que l'on trouve à l'aide du porc ou du chien (à l'odorat plus subtil) ?

RÉGION N° 12 :
LIMOUSIN

1. Quelle ville de la Haute-Vienne est célèbre pour sa porcelaine :
   a) Bellac ?
   b) Limoges ?
   c) Rochechouart ?

2. Le Limousin est-il un pays d'élevage ?

3. Dans le Limousin, se trouve un grand plateau granitique avec d'innombrables sources. Quel est son nom :
   a) le plateau de Mille-eaux ?
   b) le plateau de Millevaches ?
   c) le plateau des Mille et une nuits ?

4. A qui appartenait le château de Pompadour (Corrèze) ?

_____

5. La Corrèze fait-elle partie du Massif central ?

_____

6. Qu'est-ce que Brive-la-Gaillarde :
   a) une ville ?
   b) une liqueur ?
   c) une rivière ?

_____

7. Pourquoi la cité de Collonges, en Corrèze, a-t-elle été surnommée Collonges-la-Rouge ?

_____

8. Quelle est la préfecture de la Corrèze ?

9. Évaux-les-Bains (Creuse) est-elle une station thermale récente ?

10. Le Limousin est-il un producteur de minerai d'uranium ?

11. Qu'y a-t-il dans le domaine du château de Pompadour (en Corrèze) :
    a) un musée ?
    b) une réserve de chasse ?
    c) un haras ?

12. Quels sont les trois départements qui forment le Limousin ?

13. Qu'est-ce qui a rendu célèbre la ville d'Aubusson (Creuse) ?

14. Limoges est-il un grand centre de l'industrie :
    a) du cuir ?
    b) du savon ?
    c) automobile ?

RÉGION N° 13 :
AUVERGNE

1. Combien de départements font partie de l'Auvergne :
   a) deux ?
   b) douze ?
   c) quatre ?

2. Citez au moins deux fromages auvergnats.

3. Quel est le plateau supposé être l'endroit où Vercingétorix, chef arverne, tint César en échec ?

4. Citez une des deux stations thermales d'Auvergne dont le nom figure également sur des bouteilles d'eau (dont elles sont les productrices).

5. Peut-on skier en Auvergne ?

6. A quel ingénieur français (une tour très célèbre porte son nom à Paris) doit-on le viaduc de Garabit (Cantal), audacieux ouvrage d'art, à 95 mètres au-dessus de la Truyère ?

7. La bourrée est-elle une danse auvergnate ?

8. Que désigne-t-on en Auvergne par « puy » ?

9. Quel est le plus haut sommet des monts Dôme ?

10. Qu'y a-t-il dans le paysage auvergnat qu'on ne peut voir nulle part ailleurs ?

11. Clermont-Ferrand est la métropole française :
    a) du bois ?
    b) du caoutchouc ?
    c) du charbon ?

---

12. De quel fruit l'Auvergne est-elle un grand producteur :
    a) oranges ?
    b) myrtilles ?
    c) framboises ?

---

13. Quelle ville était le siège du gouvernement du maréchal Pétain de juillet 1940 à août 1944 (Seconde Guerre mondiale) ?

---

14. La soupe aux choux et la potée sont-elles des plats auvergnats ?

RÉGION N° 14 :
BOURGOGNE

1. Combien de départements forment la Bourgogne ?
   a) 10 ?
   b) 12 ?
   c) 4 ?

---

2. Que se passe-t-il le troisième dimanche de novembre à Beaune ?

---

3. Les escargots sont-ils une spécialité bourguignonne ?

---

4. Est-ce que le T.G.V. (train à grande vitesse) passe par la Bourgogne ?

---

5. La ville de Mâcon est-elle un centre viticole important ?

---

6. Y a-t-il un parc régional en Bourgogne ?

---

7. Quelle race de bovins est réputée pour donner la meilleure viande ?

8. Que trouve-t-on sur le massif du Morvan :
   a) des vignes ?
   b) des cultures de céréales ?
   c) des forêts ?

9. Que sont : le « chambertin », le « clos de Bèze », le « clos-Vougeot » ?

10. Qui a rendu célèbre le mont Auxois (470 m) :
    a) Astérix et Obélix ?
    b) Vercingétorix ?
    c) Idéfix ?

11. Qui étaient les « Grands Ducs d'Occident » :
    a) des ducs de Bourgogne ?
    b) des oiseaux ?
    c) des montagnes ?

12. Quel condiment a rendu Dijon célèbre ?

13. A Saint-Sauveur-en-Puisaye, dans l'Yonne, est né un grand écrivain (une femme) qui aimait beaucoup les chats. Quel est son nom ?

14. Dans quelle ville de la Saône-et-Loire se trouvait l'une des plus célèbres abbayes de la chrétienté ?

REGION N° 15 :
CENTRE

1. Qu'est-ce que le « crottin de Chavignol » ?

---

2. Quels sont les principaux monuments visités dans la région du Centre :
   a) des grottes ?
   b) des pyramides ?
   c) des châteaux ?

---

3. Y a-t-il un château à Blois ?

---

4. Y a-t-il des vignobles dans la région du Centre ?

---

5. Le Centre est-il une région agricole ?

---

6. Dans quelle ville Jeanne d'Arc venant de Domrémy eut-elle sa première entrevue avec Charles VII ?

---

7. Quelle ville assiégée par les Anglais en 1429 fut libérée par Jeanne d'Arc ?

8. La Sologne est-elle le paradis :
   a) des pêcheurs et des chasseurs ?
   b) des alpinistes ?
   c) des spéléologues ?

9. Quel est, à Chartres, le monument inscrit sur la liste du patrimoine mondial ?

10. Combien de départements y a-t-il dans la région du Centre ?

11. Quel est le principal monument de la ville de Bourges ?

12. Comment appelle-t-on les habitants de la ville de Bourges ?

13. De quelle « Gitane » Châteauroux est-elle la capitale ?

14. Quel grand génie séjourna en 1516 au château d'Amboise où l'avait invité François Ier ? (On lui doit *La Joconde*.)

RÉGION Nº 16 :
POITOU-CHARENTES

1. Pour quel type d'élevage le bassin de Marennes-Oléron occupe-t-il la première place en Europe et peut-être le premier rang au monde pour ce qui est de la qualité de ses produits ?

2. Quel est le nom de l'eau-de-vie fabriquée en Poitou-Charentes ?

3. Quel produit laitier de Poitou-Charentes est renommé ?

4. A La Rochelle, il y a :
   a) un port de commerce ?
   b) un port de plaisance ?
   c) un port de pêche ?

5. Quelle était la capitale politique, religieuse et universitaire du Poitou ?

6. Quelle est la ressource essentielle de la région de Poitiers :
   a) le bois ?
   b) les produits agricoles ?
   c) le charbon ?

7. Parthenay (Deux-Sèvres) est-il un gros marché :
   a) de la viande ?
   b) du silex ?
   c) de l'engrais ?

8. Quelle est la plus grosse ville du département de la Charente ?

9. Qu'est-ce que le pineau :
   a) un vent ?
   b) un vin ?
   c) une vallée ?

10. Quels sont les quatre départements qui forment la région Poitou-Charentes ?

11. A quoi le département des Deux-Sèvres doit-il son nom ?

12. Dans quelle ville les Arabes furent-ils arrêtés par Charles Martel ? (Invasions, 732).

13. Quelle est la ville natale et la « patrie » du président de la République François Mitterrand ?

14. Quel est le plus long viaduc d'Europe ?

RÉGION N° 17 :
PAYS DE LA LOIRE

1. Combien de départements forment la région des Pays de la Loire :
   a) un ? b) cinq ? c) deux ?

2. Qu'abrite le château d'Angers :
   a) un roi ?
   b) un musée célèbre ?
   c) une école ?

3. Quelle est la spécialité de la ville du Mans :
   a) les calissons ?
   b) les rillettes ?
   c) les bonbons à la menthe ?

4. Le Maine-et-Loire est le premier département producteur :
   a) de pommes ?
   b) de pissenlits ?
   c) d'artichauts ?

5. Où se court chaque année une course automobile qui dure 24 heures ?

---

6. Y a-t-il un pont qui relie l'île de Noirmoutier (Vendée) au continent ?

---

7. Qu'est-ce que le muscadet et le gros-plant ?

---

8. Dans quelle ville de la Sarthe se trouve un prytanée militaire (établissement militaire d'enseignement du second degré) ?

---

9. Dans quelle ville du Maine-et-Loire des générations de cavaliers ont-elles pris des cours de perfectionnement équestre :
a) Angers ?
b) Cholet ?
c) Saumur ?

---

10. Comment appelle-t-on les habitants d'Angers ?

---

11. Le Maine et l'Anjou sont-ils des terres d'élevage ou des terres de culture ?

_____

12. Quel est le principal centre industriel de la Sarthe ?

_____

13. Les vins d'Anjou sont-ils blancs, rouges ou rosés ?

_____

14. Dans quelle ville de la Mayenne naquit Ambroise Paré, chirurgien des rois de France (Henri II, Henri III) :
    a) Mayenne ?
    b) Château-Gontier ?
    c) Laval ?

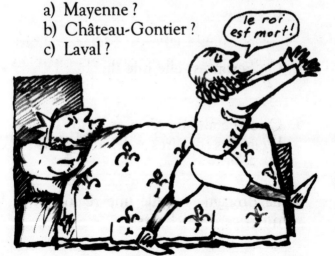

RÉGION N° 18 :
BRETAGNE

1. Quelle est la plus importante des îles bretonnes ?

_____

2. A Brest, il y a :
   a) un port militaire ?
   b) un port de commerce ?

_____

3. Qu'est-ce qui a pollué les côtes de la Bretagne ?

_____

4. Quiberon est-elle une île ?

_____

5. Quelle était aux XVIIe et XVIIIe siècles la cité des corsaires et des armateurs ?

_____

6. La Bretagne est-elle une région productrice d'artichauts ?

_____

7. Quelle est la capitale administrative de la Bretagne ?

_____

8. Quel genre de chien élève-t-on à Callac (Côtes-du-Nord) :
   a) le caniche ?
   b) le cocker ?
   c) l'épagneul ?

9. Quelle est, en Bretagne, la boisson régionale ?

10. a) Crêpes b) cassoulet c) choucroute : Laquelle des trois est une spécialité de la Bretagne ?

11. Quels sont les départements qui forment la Bretagne ?

12. Que peut-on voir à Carnac (Morbihan) dans la lande et les broussailles ?

13. Comment appelle-t-on le littoral de la Manche (de Saint-Malo à Roscoff) :
    a) la Côte d'Azur ?
    b) la Côte d'Or ?
    c) la Côte d'Émeraude ?

14. Qu'est-ce qu'une bombarde :
    a) un instrument de musique ?
    b) une forteresse ?
    c) un monument aux morts ?

RÉGION N° 19 :
BASSE-NORMANDIE

1. Combien de départements forment la Basse-Normandie ?

___

2. Quelle est la spécialité culinaire de Caen ?

___

3. Quel est l'îlot au milieu des sables de la Manche qui est inscrit sur la liste du patrimoine mondial ?

___

4. Citez au moins une station balnéaire du Calvados.

___

5. Quelle est, dans l'Orne, la ville de la dentelle :
   a) Alençon ?
   b) Argentan ?
   c) Mortagne-au-Perche ?

___

6. Quelle est, avec les herbages, l'autre principale ressource du département de la Manche :
   a) les bananiers ?
   b) les pommiers ?
   c) les cocotiers ?

7. Qu'est-ce que le Grand Prix de Deauville :
   a) une course de voitures ?
   b) une course de chevaux ?
   c) une course de mobylettes ?

8. Quelle est la capitale de la Basse-Normandie ?

9. De quel noble animal pratique-t-on l'élevage en Basse-Normandie ?

_____

10. Quel genre d'animaux peut-on voir en grand nombre à Saint-Lô (Manche) :
    a) éléphants ?
    b) biches ?
    c) chevaux ?

_____

11. Que s'est-il passé le 6 juin 1944 sur la côte du Calvados ?

_____

12. Laquelle de ces trois villes de l'Orne est une station thermale :
    a) Bagnoles-de-l'Orne ?
    b) L'Aigle ?
    c) Flers ?

_____

13. Comment appelle-t-on les habitants de L'Aigle (Orne) ?

_____

14. Dans quel département se trouve la ville de Honfleur ?

_____

RÉGION N° 20 :
HAUTE-NORMANDIE

1. A quoi la Haute-Normandie doit-elle son nom :
   a) à son relief ?
   b) à sa position sur la carte de France ?

2. La Haute-Normandie est-elle essentiellement une région d'élevage et de cultures ou une région industrielle ?

3. Dans quelle ville fut brûlée Jeanne d'Arc le 31 mai 1431 ?

4. Que peut-on visiter à Gisors (Eure) :
   a) un château fort ?
   b) une pinède ?
   c) un zoo ?

5. Quelle est la plage la plus proche de Paris ?

6. Neufchâtel est-elle la ville :
   a) du fromage ?
   b) des piments ?
   c) du couscous ?

---

7. Qui étaient les ancêtres des Normands ?

---

8. Pratique-t-on la culture du lin en Haute-Normandie ?

---

9. Quelle boisson fabrique-t-on avec les pommes de Normandie ?

---

10. Au-dessus de quel fleuve se dresse le pont de Tancarville (Seine-Maritime) ?

---

11. Le Tréport est-il une station balnéaire ?

---

12. Citez au moins un des deux plus grands ports de la Haute-Normandie ?

---

13. Quel est le premier port morutier français :
    a) Fécamp ?
    b) Dieppe ?

---

14. Quel est le célèbre peintre impressionniste qui habita à Giverny (Eure) ?

RÉGION N° 21 :
PICARDIE

1. Pratique-t-on la culture de la betterave à sucre en Picardie ?

2. Sur quoi est bâtie Laon (Aisne) :
   a) un plateau ?
   b) une colline ?

3. Aux portes de quelle ville de l'Aisne Clovis bat-il les Romains qu'il ruine à son profit (486) :
   a) Vervins ?
   b) Saint-Quentin ?
   c) Soissons ?

4. Le département de l'Aisne fait-il partie du Bassin parisien ?

5. A Compiègne, dans l'Oise, y a-t-il :
   a) un château ?
   b) une forêt ?

6. A Château-Thierry, dans l'Aisne, est né un célèbre auteur de fables du XVIIᵉ siècle. Quel est son nom ? (Les héros de ses fables sont souvent des animaux.)

7. Y a-t-il un hippodrome à Chantilly (Oise) ?

8. Sur quelle mer s'ouvrent les côtes du département de la Somme ?

___

9. La Picardie est-elle une région de pêche et de chasse ?

___

10. Quel est le fleuve qui traverse la Picardie ?

___

11. Quels sont les trois départements qui forment la Picardie ?

___

12. Dans quelle ville de l'Aisne le peintre Quentin de La Tour naquit-il ?
    a) Saint-Quentin ?
    b) Laon ?

___

13. L'industrie textile est-elle très développée en Picardie ?

___

14. La moitié de la production française de conserves de petits pois vient de la Picardie. Vrai ou faux ?

___

RÉGION N° 22 :
ILE-DE-FRANCE

1. Quelle est la capitale de la France ?

_____

2. Qu'appelle-t-on la « grande couronne »
   et la « petite couronne » autour de
   Paris ?

_____

3. Quelle est la plus grande place de
   Paris ?

4. Y a-t-il des forêts en Ile-de-France ?

_____

5. Quel fromage fabrique-t-on en Ile-de-France ?

_____

6. La ville de Paris est-elle un département ?

_____

7. Où Louis XIV (le « Roi-Soleil ») fit-il construire un immense et magnifique château ?

8. Quelle célèbre tour, à Paris, fut construite à l'occasion de l'Exposition universelle de 1889 ?

9. La région parisienne est-elle la première région industrielle et commerciale de France ?

10. Quel est l'instrument de musique populaire de l'Ile-de-France ?

11. Combien de départements forment la région Ile-de-France :
a) deux ? b) trois ? c) huit ?

12. A quoi l'Ile-de-France doit-elle son nom d'« Ile » de France ?

13. Quels sont les ascenseurs les plus rapides de France ?

14. Quel est le plus grand marché du monde ?

RÉPONSES

RÉGION N° 1 :
NORD - PAS-DE-CALAIS

1. Deux : le Nord et le Pas-de-Calais.
2. Cambrai (berlingots).
3. Les Dunkerquois.
4. Anglaise (1347-1598).
5. Oui (plus de deux cents fois).
   La première traversée officielle fut réalisée
   en 1875 par l'Anglais Matthew Webb.
6. Oui. Sa terre est riche (production variée
   et importante : blé, avoine, orge, pommes
   de terre, betteraves).
7. Calais (38 km).
8. Lille.
9. Oui. La région du Nord concentre plus de
   50 % de l'industrie de la laine ; 33 % de
   l'industrie du coton ; près de 100 % du
   travail du jute et de la filature du lin.
10. 59.
11. 62.
12. Boulogne-sur-Mer (Pas-de-Calais).
13. Ses mines de charbon. (Dans le Nord - Pas-
    de-Calais se situe le plus riche bassin
    houiller de France.

14. La fabrication de la dentelle.

RÉGION N° 2 :
CHAMPAGNE-ARDENNE

1. Reims. (Seul Henri IV fut couronné à Chartres.)
2. Un parc régional.
3. La cathédrale (cathédrale gothique Notre-Dame des XIIIe-XIVe siècle).
4. La Marne, la Meuse.
5. L'Aube.
6. Le champagne (vignobles les plus célèbres du monde).
7. 166 km.
8. Un fromage (de la ville de Chaource (Aube)).
9. Les Châlonnais.
10. Dans des caves à trente mètres de profondeur.
11. — Ardennes (08) (préfecture : Charleville-Mézières).
    — Aube (10) (préfecture : Troyes).
    — Marne (51) (préfecture : Châlons-sur-Marne).

— Haute-Marne (52) (préfecture : Chaumont).

12. Oui. A Chooz.
13. La bonneterie (Troyes).
14. Reims.

RÉGION N° 3 : LORRAINE

1. La quiche.
2. De l'eau.
3. La Moselle.
4. La pomme de terre.
5. Vittel (autres stations : Contrexéville, Bains-les-Bains...).
6. Les Barisiens.
7. Son imagerie.
8. Le sel.
9. Au choix : Nancy (Meurthe-et Moselle). Metz (Moselle).Bar-le-Duc (Meuse). Epinal (Vosges).
10. Du cristal.
11. Jeanne d'Arc (née à Domrémy, dans les Vosges).
12. Metz.
13. Quatre : la Meurthe-et-Moselle ; la Meuse ; la Moselle ; les Vosges.

14. Le minerai de fer.

RÉGION N° 4 : ALSACE

1. Deux : le Bas-Rhin (67), le Haut-Rhin (68).
2. Un gros nœud (créé vers 1870).
3. Les cigognes (aujourd'hui, elles se font plus rares : chasse, pollution...).
4. Surtout des vins blancs.
5. La cathédrale Notre-Dame (XIIIe-XIVe siècle).
6. Des personnages animés sortent de l'horloge en un grand défilé.
7. La choucroute (Journées de la choucroute).
8. — Strasbourg (préfecture du Bas-Rhin).
   — Colmar (préfecture du Haut-Rhin).
9. Oui. Port fluvial important.
10. Un tiers du territoire du Haut-Rhin.
11. Munster.
12. Une flèche (dont le sommet est à 142 mètres au-dessus du sol).
13. Strasbourg.
14. Strasbourg (en 1792). Jeune officier du Génie, Rouget de Lisle compose un *Chant de guerre pour l'armée du Rhin*. Peu après, les volontaires de Marseille adoptent et lancent le chant qui devient *La Marseillaise*

RÉGION N° 5 : FRANCHE-COMTÉ

1. La montre. (Malgré la concurrence étrangère, Besançon, spécialiste de l'horlogerie depuis le XVIIe siècle, a eu une production de 15 millions d'unités en 1980.)

2. Beaucoup. On en compte 70 de toutes les tailles. Le plus grand est celui de Saint-Point (389 ha).

3. Pasteur. (Né à Dole en 1822. Sa famille vint ensuite s'installer à Arbois.)

4. Bovins (élevage laitier).

5. Un vin du Jura (« vin jaune » ambré, de bouquet puissant et persistant, vieilli en fûts pendant six ans).

6. Au choix : le comté ; le morbier ; le vacherin (région de Champagnole) ; la cancoillotte (presque comme une crème ; Haute-Saône).
Plusieurs fromages fondus : crème de gruyère par ex., sont fabriqués industriellement dans la région.

7. Oui (eaux radioactives chaudes).

8. Une rivière.

9. 70. Plusieurs fois par jour, 30 000 pièces font surgir le Christ de son tombeau et animent les 70 cadrans. L'horloge (1860) est plus riche en personnages que celle de

Strasbourg (Alsace).

10. Le territoire de Belfort (90).
11. Haute-Saône (70). Territoire de Belfort (90). Doubs (25). Jura (39).
12. Le « Jésus ».
13. Les Vésuliens.
14. Un lion (en grès rouge des Vosges, sculpté par Bartholdi (1834-1904). Réplique réduite place Denfert-Rochereau, à Paris.

RÉGION N° 6 : RHÔNE-ALPES

1. Lyon.
2. Ski. Alpinisme.
3. Le gratin dauphinois (originaire du Vercors).
4. Deux heures.
5. Le vignoble du beaujolais (couvre 15 000 ha dans une bande étagée de terrains étirés sur environ 60 km du nord au sud).
6. Les Beaujolais.
7. Le bleu (bleu de Bresse).
8. Les Stéphanois.
9. Grenoble.
10. Oui. Il a été créé en 1963 et a pour but de protéger la flore et la faune alpine (bouquetins, marmottes, chamois...).
11. Huit :

— Ain (préfecture : Bourg-en-Bresse).
— Rhône (préfecture : Lyon).
— Loire (préfecture : Saint-Etienne).
— Isère (préfecture : Grenoble).
— Ardèche (préfecture : Privas).
— Drôme (préfecture : Valence).
— Savoie (préfecture : Chambéry).
— Haute-Savoie (préfecture : Annecy).

12. Lyon. (Créé au XIXᵉ siècle par Laurent Mourguet.)
13. « Le chevalier sans peur et sans reproche ».
14. Oui. (Sous les grandes falaises creusées de mille grottes, des spéléologues ont découvert des sculptures de pierre.)

RÉGION Nᵒ 7 :
PROVENCE-ALPES-CÔTE D'AZUR

1. La bouillabaisse. (Elle doit comporter trois poissons : rascasse, grondin, congre. On en ajoute généralement beaucoup d'autres.)
2. Les calissons (petits gâteaux à la pâte d'amande).
3. Le mistral.
4. Marseille.
5. La plus fameuse artère de Marseille.

6. Cannes.
7. Sainte-Maxime (regarde Saint-Tropez par-dessus les eaux du golfe).
8. Oui.
9. Non. Il y a une station de sports d'hiver.
10. La Camargue (sol salé, marécageux).
11. 6 : — Alpes-de-Haute-Provence (préfecture : Digne).
    — Hautes-Alpes (préfecture : Gap).
    — Alpes-Maritimes (préfecture : Nice).
    — Bouches-du-Rhône (préfecture : Marseille).
    — Var (préfecture : Toulon).
    — Vaucluse (préfecture : Avignon).
12. Apt (Vaucluse).
13. Avignon (sept papes français s'y succédèrent) (Palais des papes).

RÉGION N° 8 : CORSE

1. Deux (depuis 1975) : Haute-Corse et Corse-du-Sud.
2. — Ajaccio (Corse-du-Sud).
   — Bastia (Haute-Corse).
3. 1768 (cédée par les Génois).
4. Le maquis.

5. Oui (sur 200 000 ha, 1/4 de la superficie totale de l'île).
6. Oui (Haut Asco, de décembre à avril).
7. Oui (région de Casinca).
8. Oui ; vins rouges, vins blancs.
9. Oui (l'une des plus fréquentées de Corse).
10. Alphonse Daudet.
11. Bonifacio.
12. Aléria (Alalia à l'époque).
13. L'Italie (à 82 km). (La Corse est à 180 km de la France.)
14. Napoléon Ier est né à Ajaccio le 15 août 1769 (Ajaccio, patrie de Bonaparte).

RÉGION Nº 9 :
LANGUEDOC-ROUSSILLON

1. Le rugby.
2. Romaine.
3. Cinq :
   — Aude (préfecture : Carcassonne).
   — Gard (préfecture : Nîmes).
   — Hérault (préfecture : Montpellier).
   — Lozère (préfecture : Mende).
   — Pyrénées-Orientales (préfecture : Perpignan).
4. Les Narbonnais.

5. Sète (second port de commerce, après Marseille).
6. Non. Il est vieux de 2 000 ans. Il enjambe les gorges du Gardon et fait 275 mètres de long. (Construit pour amener à Nîmes les eaux de la fontaine d'Eure, près d'Uzès.)
7. Le Massif central (rebord oriental).
8. La bête du Gévaudan.
9. Perpignan.
10. La vigne (deuxième département français pour la production du vin).
11. Vins et alcools languedociens.
12. Carcassonne (Aude).
13. Médecine. (Parmi les plus célèbres maîtres et élèves de Montpellier : Nostradamus, Rabelais, Tournefort...).
14. Un temple romain. (Sa construction date d'un peu avant Jésus-Christ.)

RÉGION N° 10 : MIDI-PYRÉNÉES

1. Le cassoulet.
2. Ville rose : Toulouse (murs de briques roses).
   Ville rouge : Albi.
3. Le roquefort.
4. Des moutons.

5. Rodez.
6. Huit :
   — Ariège (préfecture : Foix).
   — Aveyron (préfecture : Rodez).
   — Haute-Garonne (préfecture : Toulouse).
   — Gers (préfecture : Auch).
   — Lot (préfecture : Cahors).
   — Hautes-Pyrénées (préfecture : Tarbes).
   — Tarn (préfecture : Albi).
   — Tarn-et-Garonne (préfecture : Montauban).
7. Cahors.
   Pont du XIVe siècle, d'architecture militaire médiévale. (Possède trois tours à mâchicoulis et sept arches.)
8. Lourdes. (En 1858, une petite fille avait vu la vierge à plusieurs reprises.)
9. Ni par une route, ni par un chemin de fer.
10. Toulouse.
11. Les troubadours.
12. Les Foxiens ou Fuxéens.

RÉGION N° 11 : AQUITAINE

1. Agen.
2. Dans les Landes.

3. Le vignoble bordelais. (S'étend sur 10 000 ha ; châteaux-Lafite, Rothschild ; château-Margaux...).

4. Le jeu de la pelote.

5. Le jambon fumé. (On y trouve aussi du chocolat et du touron, sorte de nougat aux pignons.)

6. Sur la côte basque.

7. Bordeaux est un port fluvial sur la Garonne.

8. Oui. (La vallée de la moyenne Garonne, la Dordogne et le Lot sont les principales zones de production de tabac.) Culture réglementée par l'État.

9. Des peintures préhistoriques.

10. — Dordogne (préfecture : Périgueux).
    — Gironde (préfecture : Bordeaux).
    — Landes (préfecture : Mont-de-Marsan).
    — Lot-et-Garonne (préfecture : Agen).
    — Pyrénées-Atlantique (préfecture : Pau).

11. Les Sarladais.

12. La Gironde (10 626 km^2).

13. Dax. (Son nom vient du latin *aquae* = eaux ; première station thermale : Aix-les-Bains, en Savoie.)

14. La truffe.

RÉGION N° 12 : LIMOUSIN

1. Limoges.
2. Oui. (Sur un million d'hectares de superficie exploitée, plus de la moitié est consacrée à l'élevage : bovins, ovins, porcins).
3. Le plateau de Millevaches.
4. A la marquise de Pompadour. (Elle le reçut, avec son titre, de Louis XV en 1745).
5. Oui (mont Besson, 984 mètres).
6. Une ville de la Corrèze (puissant foyer industriel).
7. A cause de ses maisons en grès rouge.
8. Tulle.
9. Non. Elle était déjà connue des Romains (vestiges de thermes antiques).
10. Oui (Bessines-sur-Gartempe, en Haute-Vienne).
11. Un haras.
12. — Corrèse (préfecture : Tulle).
    — Creuse (préfecture : Guéret).
    — Haute-Vienne (préfecture : Limoges).
13. Ses ateliers de tapisseries. (L'un des plus anciens aubussons est la « Dame à la licorne » (vers 1490), aujourd'hui au musée de Cluny, à Paris.)
14. Du cuir.

RÉGION N° 13 : AUVERGNE

1. Quatre :
   — Allier (préfecture : Moulins).
   — Cantal (préfecture : Aurillac).
   — Haute-Loire (préfecture : Le Puy).
   — Puy-de-Dôme (préfecture : Clermont-Ferrand).
2. Au choix : le cantal, le bleu d'Auvergne, la fourme d'Ambert, le saint-nectaire, les fourmes de Montbrison et de Saint-Anthème, le saingorlon, le murol, le gaperon à l'ail, le cabecou.
3. Le plateau de Gergovie (succès sans lendemain).
4. Au choix :
   — Vichy (Allier) ;
   — Volvic (Puy-de-Dôme).
5. Oui (Massif central) (surtout ski de fond).
6. Gustave Eiffel (Il fit le pont métallique (564 m) avant la Tour Eiffel.)
7. Oui. (De plus en plus délaissée au profit des danses modernes.)
8. Les montagnes volcaniques ayant au sommet un cratère.
9. Le puy- de -Dôme (1 465 m).
10. Des volcans (Puy-de-Dôme, monts du Cantal). (Leur activité volcanique est

terminée.)
11. Du caoutchouc (usines Michelin : pneus).
12. Myrtilles (plusieurs centaines de tonnes par an).
13. Vichy (Allier).
14. Oui.

RÉGION Nº 14 : BOURGOGNE

1. Quatre :
   — Côte-d'Or (préfecture : Dijon).
   — Nièvre (préfecture : Nevers).
   — Saône-et-Loire (préfecture : Mâcon).
   — Yonne (préfecture : Auxerre).
2. L'importante et célèbre vente aux enchères des vins des Hospices de Beaune. (Le produit de la vente est consacré à la modernisation des installations chirurgicales et médicales ainsi qu'à l'entretien de l'Hôtel-Dieu.)
3. Oui. (Rappelez-vous la chanson : « Escargot de Bourgogne, Montre-moi tes cornes... ») (Aujourd'hui il se fait rare à cause du sulfatage des vignes et de l'utilisation des engrais.)
4. Oui. (Il permet de relier Paris à Dijon en 1 h 36, à Mâcon en 1 h 41.)

5. Oui. (Foire aux vins en mai.)
6. Oui. Le parc naturel régional du Morvan.
7. La race charolaise (Saône-et-Loire).
8. Des forêts. (Massif très boisé : hêtres, charmes, chênes, résineux sur les hauteurs. Beaucoup de sapins de Noël vendus en France proviennent du Morvan.)
9. Des vins illustres de Bourgogne (Côte-d'Or).
10. Vercingétorix. (C'est là que se trouvait Alésia. Vercingétorix y fut vaincu après six semaines de siège par César, en 52 avant J.-C.)
11. Des ducs de Bourgogne (ducs de la dynastie des Valois).
12. La moutarde.
13. Colette (1873-1954) (Maison natale : rue des Vignes.)
14. Cluny. (Toute l'épopée spirituelle du Moyen Âge rayonna à partir de ce lieu.)

RÉGION N° 15 : CENTRE

1. Un fromage de chèvre (Berry).
2. Les châteaux de la Loire (refuge de la royauté pendant la guerre de Cent Ans).

3. Oui. (Un château de la Renaissance bâti par Louis XII et François Ier. Le duc de Guise y fut assassiné en 1588.)
4. Oui. (Vins réputés de Touraine : vouvray ; vins de l'Orléanais et du Blésois...)
5. Oui. (Céréales, vins, fruits, cultures maraîchères : artichauts, salades, asperges... Blé de la Beauce.)
6. Chinon.
7. Orléans.
8. Le paradis des pêcheurs et des chasseurs qui y disposent d'immenses réserves.
9. La cathédrale de Chartres (construite de 1194 à 1260).
10. Six :
    — Cher (préfecture : Bourges).
    — Eure-et-Loir (préfecture : Chartres).
    — Indre (préfecture : Châteauroux).
    — Indre-et-Loire (préfecture : Tours).
    — Loir-et-Cher (préfecture : Blois).
    — Loiret (préfecture : Orléans).
11. La cathédrale gothique (construite de 1195 à 1324).
12. Les Berruyers.
13. De la cigarette « Gitane ». (La Seita en produit ici plus de trente millions par jour.)
14. Léonard de Vinci.

RÉGION N° 16 :
POITOU-CHARENTES

1. Élevage et production des huîtres (ostréiculture).
2. Cognac (essentiellement Charente, Charente-Maritime).
3. Le beurre.
4. Les trois.
5. Poitiers.
6. Les produits agricoles (blé, topinambour, avoine, pomme de terre, colza, tabac, légumes, vignes, vergers...).
7. De la viande (foire le mercredi matin).
8. Angoulême.
9. Un vin apéritif.
10. — Charente (préfecture : Angoulême).
    — Charente-Maritime (préfecture : La Rochelle).
    — Deux-Sèvres (préfecture : Niort).
    — Vienne (préfecture : Poitiers).
11. A deux rivières qui l'arrosent :
    — La Sèvre Nantaise,
    — La Sèvre Niortaise.
12. Poitiers.
13. Jarnac (Charente).
14. Celui qui relie l'île d'Oléron au continent (3 030 mètres).

RÉGION Nº 17 : PAYS DE LA LOIRE

1. Cinq :
   — Loire-Atlantique (préfecture : Nantes).
   — Maine-et-Loire (préfecture : Angers).
   — Mayenne (préfecture : Laval).
   — Sarthe (préfecture : Le Mans).
   — Vendée (préfecture : La Roche-sur-Yon).
2. Le musée des tapisseries le plus riche du monde (Tenture de l'*Apocalypse*, 1373 à 1380).
3. Les rillettes.
4. De pommes.
5. Au Mans. (Les 24 Heures du Mans : course d'endurance automobile depuis 1923.)
6. Oui. (Depuis juillet 1971, pont de 583 mètres entre La Fosse, sur l'île, et Fromentine, sur le continent.)
7. Des vins du vignoble nantais (Loire-Atlantique).
8. La Flèche.
9. Saumur.
10. Les Angevins.
11. Les deux :
    — cultures : fleurs, légumes, vignes, fruits... ;
    — élevage : vaches, porcs, moutons, chèvres et volailles.

12. Le Mans.
13. Les trois. (Pendant longtemps, le « grand vin d'Anjou » était blanc ; mais aujourd'hui le rouge et le rosé gagnent du terrain.)
14. Laval.

RÉGION N° 18 : BRETAGNE

1. Belle-Ile-en-Mer.
2. Les deux.
3. Les pétroliers géants qui, en 1967, 1976, 1978, 1979,1980, ont fait naufrage (milliers de tonnes de pétrole répandues).
4. Non. C'est une presqu'île (du Morbihan).
5. Saint-Malo. (Surcouf (1773-1827) était un des corsaires célèbres.)
6. Oui (66 % des artichauts français).
7. Rennes.
8. L'épagneul. (L'épagneul breton est un chien d'arrêt réputé.)
9. Le cidre.
10. Les crêpes (froment, sarrasin).
11. — Côtes-du-Nord (préfecture : Saint-Brieuc).
    — Finistère (préfecture : Quimper).
    — Ille-et-Vilaine (préfecture : Rennes).
    — Morbihan (préfecture : Vannes).

12. Des menhirs (2 935 pierres dressées alignées).
13. La Côte d'Émeraude.
14. Un instrument de musique à vent et à anche (utilisé en Bretagne).

RÉGION N° 19 : BASSE-NORMANDIE

1. Trois :
   — Calvados (préfecture : Caen).
   — Manche (préfecture : Saint-Lô).
   — Orne (préfecture : Alençon).
2. Les tripes à la mode de Caen (au cidre sec).
3. Le Mont-Saint-Michel (et sa baie).
4. Au choix : Deauville, Trouville, Cabourg, Houlgate, Riva-Bella, Villers-sur-Mer, Arromanches-les-Bains, Courseulles-sur-Mer, Blonville-sur-Mer.
5. Alençon (point d'Alençon).
6. Les pommiers.
7. Une course de chevaux (se court en août).
8. Caen (Calvados).
9. Le cheval (surtout dans l'Orne et le Calvados).
10. Des chevaux (200 étalons) au Haras national.

11. Il y eut le débarquement des troupes anglo-américaines. (Seconde Guerre mondiale. Premières opérations de la libération de la France.)
12. Bagnoles-de-l'Orne (source chaude la moins minéralisée de France).
13. Les Aiglons.
14. Calvados.

RÉGION N° 20 :
HAUTE-NORMANDIE

1. Sa position sur la carte de France.
2. Une région d'élevage (vaches, chevaux) et de cultures (céréales, betteraves, fruits...).
3. Rouen.
4. Un château fort (XIe-XIIe siècle).
5. Dieppe (168 km).
6. Du fromage.
7. Les Vikings (VIIIe-IXe siècle). Guerriers et navigateurs intrépides partis de Scandinavie. (Northmen = hommes du Nord = Normands.)
8. Oui.
9. Du cidre.
10. La Seine. (Un des ponts les plus longs d'Europe : 1 400 mètres de longueur totale.)

11. Oui (proximité de Paris).
12. Le Havre, Rouen (Seine-Maritime).
13. Fécamp. (Dieppe, lui, est le premier port bananier de France).
14. Claude Monet (1840-1926). Il y habita de 1883 jusqu'à sa mort.

RÉGION N° 21 : PICARDIE

1. Oui.
2. Une colline isolée au-dessus de la grande plaine champenoise.
3. Soissons (le vase de Soissons).
4. Oui.
5. — Un château (XVIIIe siècle. Occupé par Louis XV, Louis XVI, Napoléon Ier, Napoléon III) ;
— et une forêt (14 500 ha. L'une des plus vastes et des plus belles de France).
6. Jean de La Fontaine.
7. Oui. (Trois mille pur-sang s'y entraînent pour les prix de Diane, de l'Arc de Triomphe...).
8. La Manche.
9. Oui (forêts, rivières, étangs...).
10. La Somme.
11. — Aisne (préfecture : Laon).

— Oise (préfecture : Beauvais).
— Somme (préfecture : Amiens).
12. Saint-Quentin.
13. Oui (Oise : Beauvais ; Somme : Amiens).
14. Vrai.

RÉGION N° 22 : ILE-DE-FRANCE

1. Paris.
2. La « grande couronne » = grande banlieue
   (Yvelines, Essonne, Val d'Oise, Seine-et-
   Marne).
   La « petite couronne » = proche banlieue
   (Hauts-de-Seine, Seine-Saint-Denis, Val-
   de-Marne).
3. La place de la Concorde.
4. Oui. (Ce sont les « poumons verts de la
   capitale » : Fontainebleau, Rambouillet,
   Versailles, L'Isle-Adam... En un an, un
   hectare de hêtres retient 80 tonnes de
   poussière.)
5. Le brie (brie de Coulommiers, de Meaux,
   de Melun, de Montereau).
6. Oui. (A la fois commune et département ;
   administrée par un maire : Jacques Chirac.)
7. A Versailles. (Il s'y installa en 1682.)
8. La Tour Eiffel (par Gustave Eiffel).

9. Oui.
10. L'accordéon.
11. Huit :
    — Paris.
    — Seine-et-Marne (préfecture : Melun).
    — Yvelines (préfecture : Versailles).
    — Essonne (préfecture : Évry).
    — Hauts-de-Seine (préfecture : Nanterre).
    — Seine-Saint-Denis (préfecture : Bobigny).
    — Val-de-Marne (préfecture : Créteil).
    — Val d'Oise (préfecture : Pontoise).
12. C'est une terre délimitée non par des mers mais par des fleuves et des rivières : la Seine, l'Oise, la Marne, l'Ourcq, l'Aisne. (Terme d'« Ile » employé pour la première fois en 1937.)
13. Ceux de la Tour Montparnasse (21,6 km/h).
14. Les Halles de Rungis (couvent 600 ha). 2,5 millions de tonnes de marchandises y transitent chaque année.

junior poche loisirs

* **CES INCROYABLES ANIMAUX
  AUX DRÔLES DE RECORDS**

* **400 DEVINETTES
  ET DES JEUX POUR S'AMUSER**

* **MINI-MYSTÈRE,
  LE JEU DES 444 QUESTIONS**

* **PETITE ENCYCLOPÉDIE
  INSOLITE**

* **VRAI OU FAUX ?**

* **ASTUCE,
  LE GRAND JEU DES ASTUCIEUX**

* **SUPER CROCO,
  400 QUESTIONS SUR LES ANIMAUX**

* **SUPER SCORE, 330 QUESTIONS POCHE**

* **LE TOUR DE FRANCE EN 300 QUESTIONS**

* **MIAOU, LE LIVRE-JEU DU CHAT**

* **365 DEVINETTES
  SUR LES PERSONNAGES CÉLÈBRES**

* **70 ANIMAUX EXTRAORDINAIRES**